© 2016 Hachette Livre, 58 rue Jean Bleuzen, 92178 Vanves CEDEX. Tous droits réservés.
Dépôt légal : mai 2016. Édition 01. Achevé d'imprimer en mai 2016 par Canale en Roumanie.
Traduction : Aurélie Desfour.
Loi n° 49-956 du 16 juillet 1949 sur les publications destinées à la jeunesse.

PAPIER À BASE DE
FIBRES CERTIFIÉES

hachette s'engage pour
l'environnement en réduisant
l'empreinte carbone de ses livres.
Celle de cet exemplaire est de :
400 g éq. CO2
Rendez-vous sur
www.hachette-durable.fr

Peppa joue au football

hachette
JEUNESSE

Quelle belle journée ensoleillée ! Peppa et Suzy Sheep jouent au tennis.

— À toi, Suzy ! crie Peppa en tapant dans la balle.

C'est au tour de Suzy.

— À toi, Peppa ! répond-elle en renvoyant la balle au-dessus de Peppa.

Oups !

– Ouin ! Ouin !

George se sent un peu à l'écart.

– Désolée, George, tu ne peux pas jouer au tennis, explique Peppa. Nous n'avons que deux raquettes.

– George peut être notre ramasseur de balle, propose Suzy.

– Bonne idée ! Tu sais, George, c'est un travail drôlement important, déclare Peppa.

Peppa et Suzy s'amusent comme des folles.
Mais elles ratent sans arrêt la balle !
– Ramasseur ! hurlent-elles à chaque fois.
Pfiou ! George, lui, ne s'amuse pas du tout.
Il n'arrête pas de courir à droite et à gauche.
Comme c'est fatigant !

Tiens, voilà les amis de Peppa et de Suzy.

— Bonjour tout le monde ! salue Peppa. On fait
un match de tennis !

— On peut jouer avec vous ? demande Danny Dog.

— Il n'y a pas assez de raquettes, répond Suzy.

– Et si on jouait au football ?
propose Danny.
– Oui, super ! crient les enfants
en chœur.

– Les filles contre les garçons ! décide Peppa.
– Il faut un gardien de but par équipe, ajoute Danny.
– Moi, moi ! s'exclame Pedro Pony.
– Moi, moi ! répète Rebecca Rabbit.

Pedro Pony et Rebecca Rabbit sont les deux gardiens de but.

– Les garçons commencent ! annonce Danny.

Richard Rabbit fonce avec le ballon. Il passe à côté de Peppa, de Suzy, de Candy Cat et fonce droit vers le...

– ... BUT ! hurlent Danny et Pedro quand Richard Rabbit envoie le ballon dans la cage de Rebecca.

– Les garçons ont gagné ! s'exclame Danny.

– Ce n'est pas juste, on n'était pas prêtes, grogne Peppa.

Rebecca Rabbit prend le ballon dans ses mains et traverse le terrain à toute vitesse.

— Hé ! crie Danny. C'est de la triche ! Tu n'as pas le droit de porter le ballon !

— Si, j'ai le droit ! répond Rebecca. Je suis le gardien de but !

Rebecca Rabbit lance le ballon dans le filet de Pedro Pony.

— But ! glousse-t-elle.

– Ce but ne compte pas ! proteste Pedro Pony.

– Si, il compte, dit Peppa.

– Non, il ne compte pas ! insiste Danny Dog.

– Oh ! Oh ! Qu'est-ce que c'est que ce vacarme ? soupire Papa Pig. Je vais faire l'arbitre ! L'équipe qui marque le prochain but aura gagné le match.

Pendant que tout le monde discute, Richard et George s'enfuient avec le ballon.

– Où est passée la balle ? demande soudain Peppa.

Oups ! Il est déjà trop tard ! Richard envoie le ballon tout droit dans le but de Pedro.

– Hourra ! Les garçons ont gagné ! s'écrie Danny.

— Le football, c'est vraiment pas marrant comme jeu, râle Peppa, déçue.

— Attendez un peu, dit Papa Pig. Les garçons ont marqué dans leur propre but. Les filles ont donc gagné !

— C'est vrai ? demandent les filles, étonnées. Hourra !

— Le football, c'est génial comme jeu ! conclut Peppa. Et tout le monde éclate de rire !

Retrouve vite les autres histoires de Peppa et George !

Grouin !

Peppa Pig
Peppa fait du ski

Peppa Pig
Peppa va à la piscine

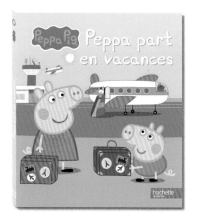

Peppa Pig
Peppa part en vacances

Peppa Pig
Peppa va à l'école

Peppa Pig
Peppa se déguise

Peppa Pig
Peppa va chez le dentiste